alarm clock
le réveil

butterfly
le papillon

parrot
le perroquet

ENGLISH
— and —
FRENCH
My First 1000 Words

Illustrated by Judy Hensman

rocket
la fusée

tractor
le tracteur

flower
la fleur

father
le père

mother
la mère

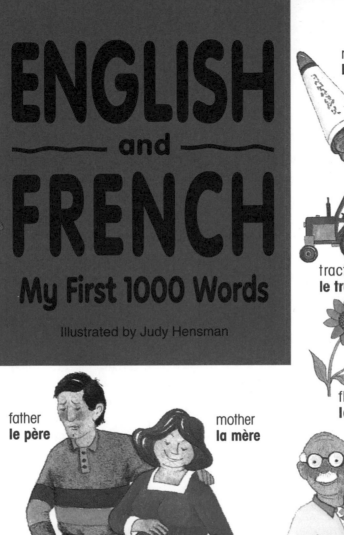

brother
le frère

sister
la sœur

Brown Watson
ENGLAND

contents: table des matières

ISBN 0-7097-1180-8
First published 1997 by Brown Watson
The Old Mill, 76 Fleckney Road
Kibworth Beauchamp, Leicestershire, England
© 1997 Brown Watson
Printed in the E.C.

la famille   the family

grandmother
la grand-mère

father, husband
le père, le mari

mother, wife
la mère, la femme

grandfather
le grand-père

son, brother
le fils, le frère

daughter, sister
la fille, la sœur

cousin
la cousine

cousin
le cousin

uncle
l'oncle

aunt
la tante

our bodies

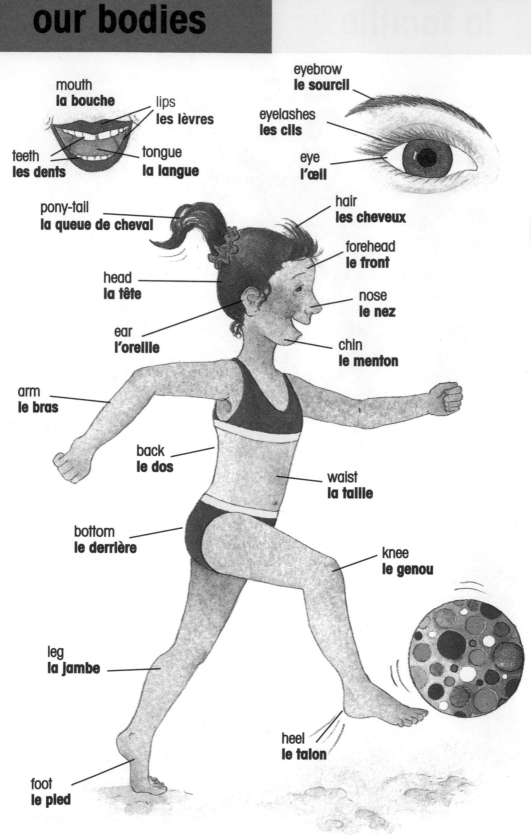

mouth
la bouche

lips
les lèvres

teeth
les dents

tongue
la langue

eyebrow
le sourcil

eyelashes
les cils

eye
l'œil

pony-tail
la queue de cheval

hair
les cheveux

forehead
le front

head
la tête

nose
le nez

ear
l'oreille

chin
le menton

arm
le bras

back
le dos

waist
la taille

bottom
le derrière

knee
le genou

leg
la jambe

heel
le talon

foot
le pied

nos corps

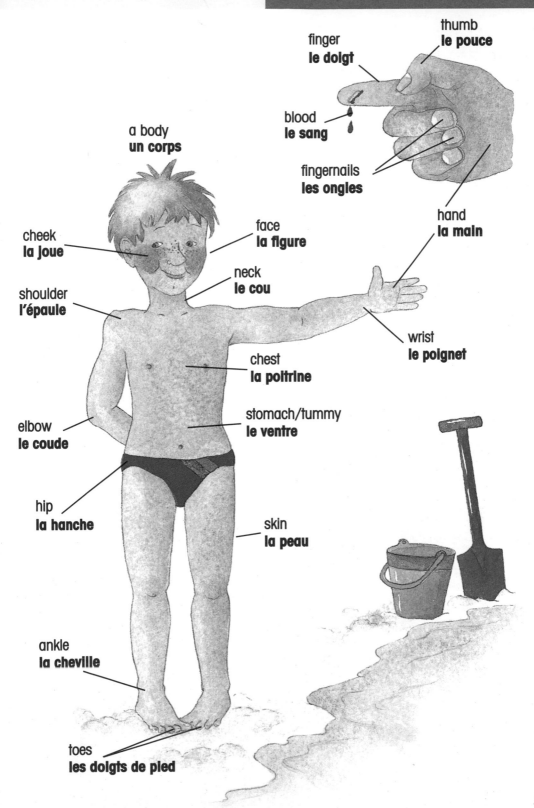

finger
le doigt

thumb
le pouce

blood
le sang

fingernails
les ongles

a body
un corps

hand
la main

cheek
la joue

face
la figure

neck
le cou

shoulder
l'épaule

wrist
le poignet

chest
la poitrine

elbow
le coude

stomach/tummy
le ventre

hip
la hanche

skin
la peau

ankle
la cheville

toes
les doigts de pied

5

more words

bald
chauve

moustache
la moustache

beard
la barbe

people
les gens

parents
les parents

man
l'homme

boy
le garçon

bride
la mariée

hear
entendre

taste
goûter

twins
les jumelles

bridegroom
le marié

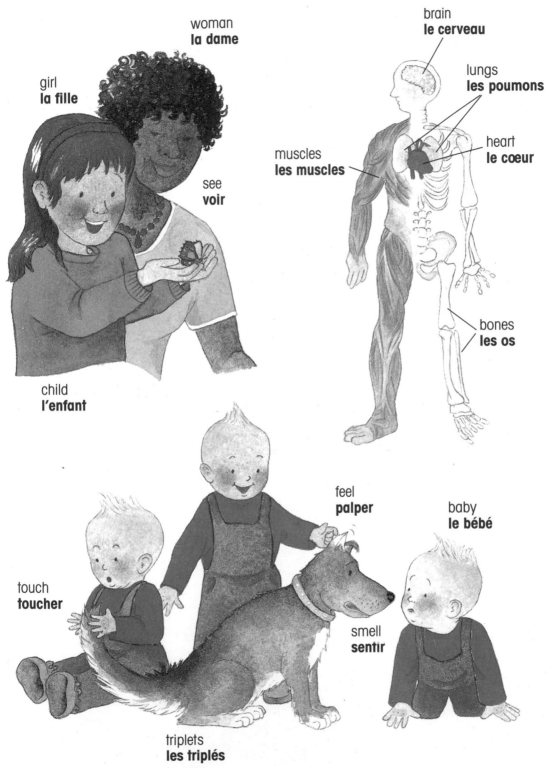

woman
la dame

girl
la fille

brain
le cerveau

lungs
les poumons

muscles
les muscles

heart
le cœur

see
voir

bones
les os

child
l'enfant

feel
palper

baby
le bébé

touch
toucher

smell
sentir

triplets
les triplés

clothes

dress
la robe

sweater
le pull

hat
le chapeau

knickers
la culotte

pants
le slip

dressing gown
la robe de chambre

trousers
le pantalon

anorak
l'anorak

socks
les chaussettes

blouse
le chemise

skirt
la jupe

pyjamas
le pyjama

petticoat
le jupon

leggings
le caleçon

coat
le manteau

cap
la casquette

les vêtements

shorts
le short

raincoat
l'imperméable

T-shirt
le tee-shirt

tights
le collant

vest
le maillot de corps

jacket
la veste

scarf
l'écharpe

nightdress
la chemise de nuit

jeans
le jean

underpants
le slip

cardigan
le gilet

rainhat
**le chapeau
imperméable**

pullover
le pull

shirt
la chemise

track suit
le survêtement

9

more things to wear

laces
les lacets

slippers
les pantoufles

earrings
les boucles d'oreilles

buttonhole
la boutonnière

tie
la cravate

handkerchief
le mouchoir

necklace
le collier

braces
les bretelles

button
le bouton

rubber boots
les bottes en caoutchouc

suit
le costume

glasses
les lunettes

shoes
les chaussures

mittens
les moufles

apron
le tablier

d'autres choses à porter

overalls
le bleu de travail

boots
les bottes

gloves
les gants

ring
la bague

athletic shoes
les tennis

belt
la ceinture

buckle
la boucle

tiara
le diadème

swimsuit
le maillot de bain

ribbon
le ruban

hairband
le bandeau

sandals
les sandales

bracelet
le bracelet

brooch
la broche

swimtrunks
le caleçon de bain

11

the bedroom

bedside table
la table de nuit

lamp
la lampe

bunk beds
les lits superposés

chest
of drawers
la commode

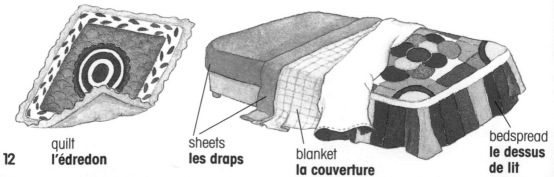

quilt
l'édredon

sheets
les draps

blanket
la couverture

bedspread
**le dessus
de lit**

la chambre

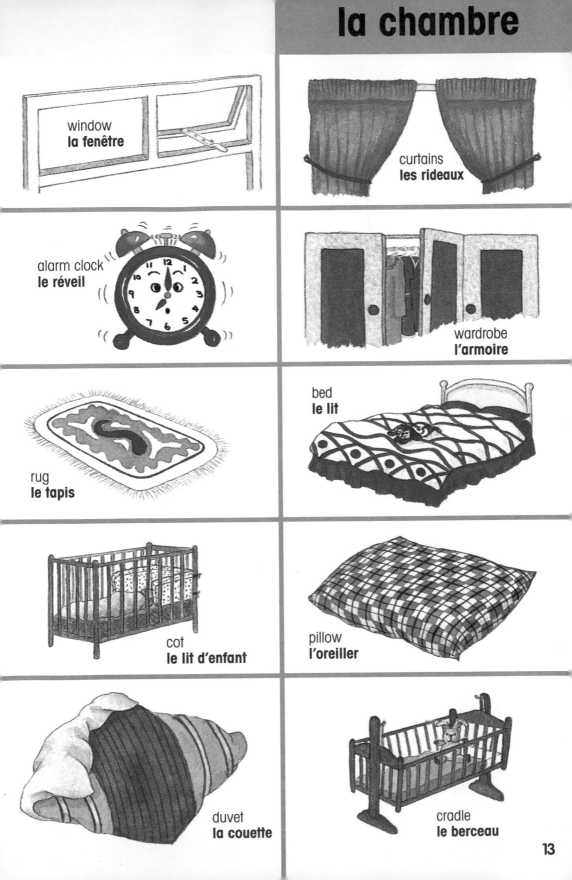

window
la fenêtre

curtains
les rideaux

alarm clock
le réveil

wardrobe
l'armoire

rug
le tapis

bed
le lit

cot
le lit d'enfant

pillow
l'oreiller

duvet
la couette

cradle
le berceau

the bathroom

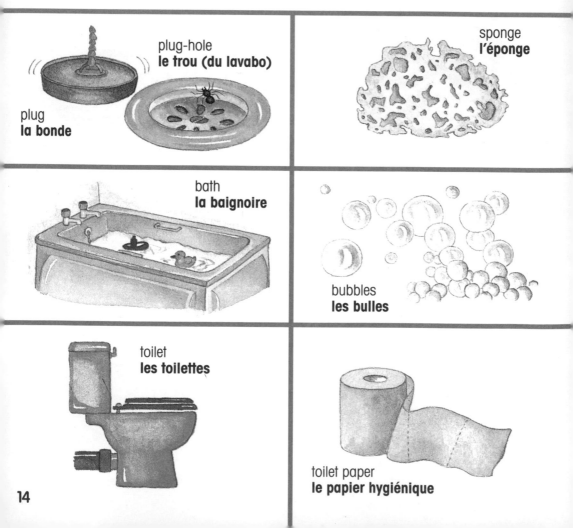

plug-hole
le trou (du lavabo)

plug
la bonde

sponge
l'éponge

bath
la baignoire

bubbles
les bulles

toilet
les toilettes

toilet paper
le papier hygiénique

la salle de bain

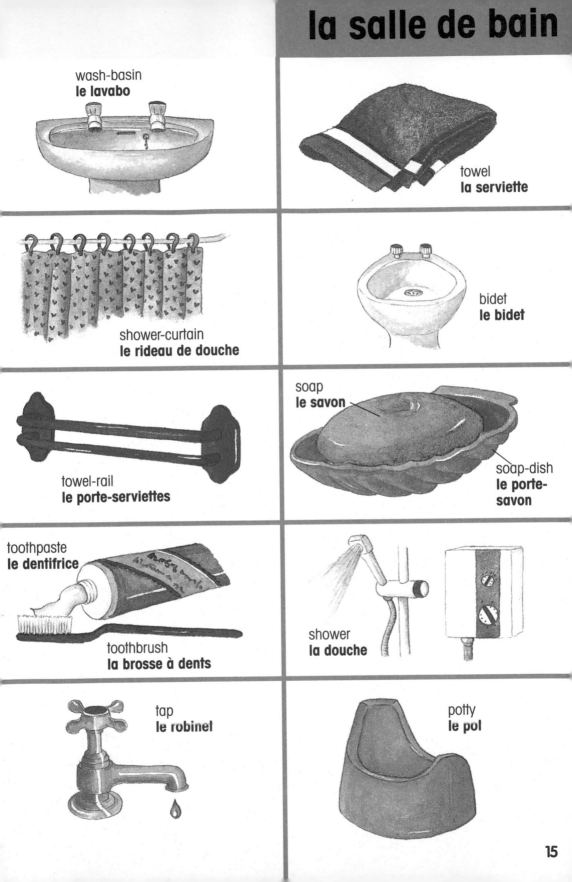

wash-basin
le lavabo

towel
la serviette

shower-curtain
le rideau de douche

bidet
le bidet

towel-rail
le porte-serviettes

soap
le savon

soap-dish
le porte-savon

toothpaste
le dentifrice

toothbrush
la brosse à dents

shower
la douche

tap
le robinet

potty
le pol

the kitchen

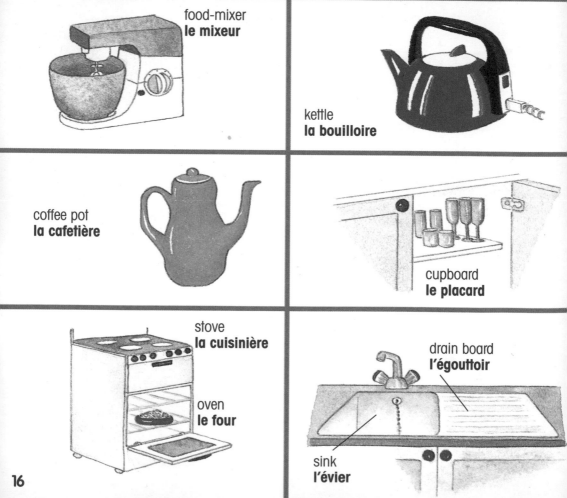

food-mixer
le mixeur

kettle
la bouilloire

coffee pot
la cafetière

cupboard
le placard

stove
la cuisinière

oven
le four

drain board
l'égouttoir

sink
l'évier

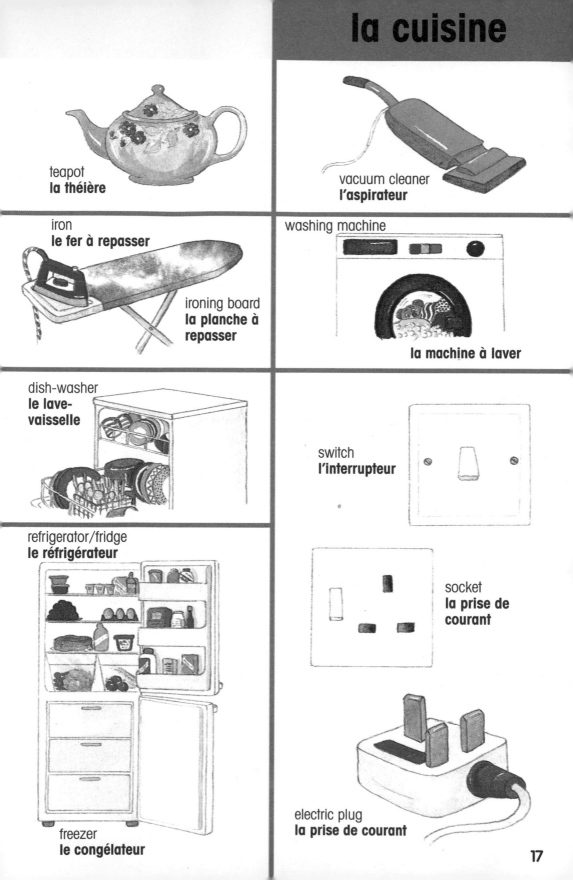

teapot
la théière

vacuum cleaner
l'aspirateur

iron
le fer à repasser

ironing board
la planche à repasser

washing machine

la machine à laver

dish-washer
le lave-vaisselle

switch
l'interrupteur

refrigerator/fridge
le réfrigérateur

socket
la prise de courant

electric plug
la prise de courant

freezer
le congélateur

17

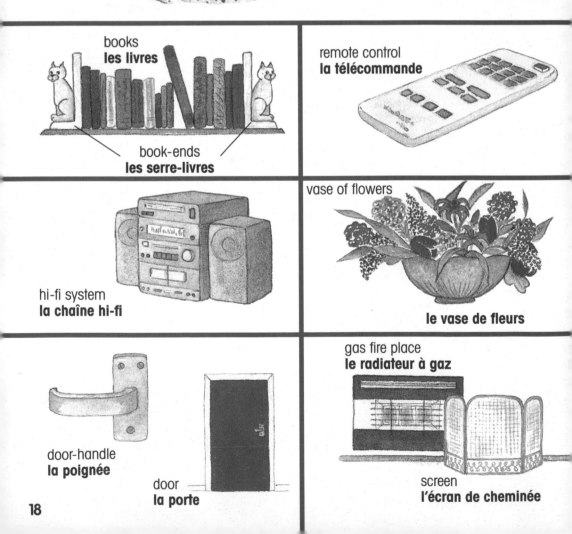

books
les livres

book-ends
les serre-livres

remote control
la télécommande

hi-fi system
la chaîne hi-fi

vase of flowers

le vase de fleurs

door-handle
la poignée

door
la porte

gas fire place
le radiateur à gaz

screen
l'écran de cheminée

le salon

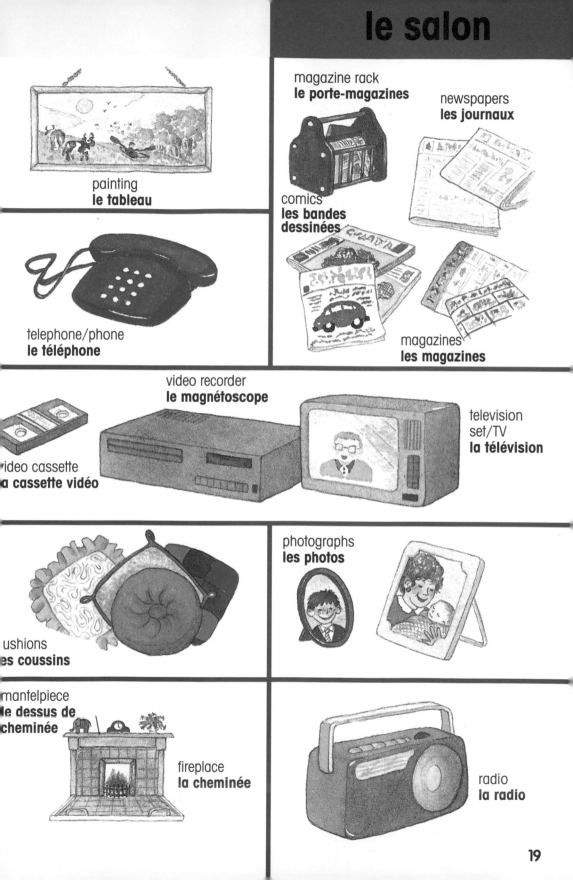

painting
le tableau

magazine rack
le porte-magazines

newspapers
les journaux

comics
les bandes dessinées

telephone/phone
le téléphone

magazines
les magazines

video recorder
le magnétoscope

television set/TV
la télévision

video cassette
la cassette vidéo

photographs
les photos

cushions
les coussins

mantelpiece
le dessus de cheminée

fireplace
la cheminée

radio
la radio

19

the dining-room

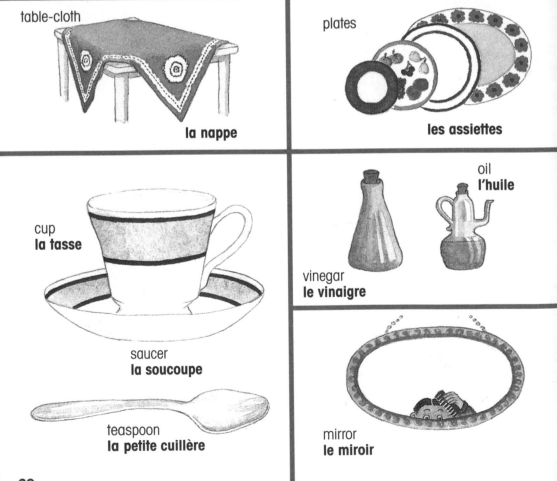

table-cloth

la nappe

plates

les assiettes

cup
la tasse

saucer
la soucoupe

teaspoon
la petite cuillère

oil
l'huile

vinegar
le vinaigre

mirror
le miroir

fork
la fourchette

spoon
la cuillère

napkins
les serviettes

napkin ring
le rond de serviette

place-mat
le set de table

knife
le couteau

candles
les bougies

candlestick
le bougeoir

pepper
le poivre

salt
le sel

dining-table
la table

chairs
les chaises

eggcups
les coquetiers

jug
la carafe

tumbler
le verre

fruit bowl
la coupe de fruits

wine-glasses
les verres à vin

bottle
la bouteille

21

the playroom

toys
les jouets

rocking horse
le cheval à bascule

soft toys
les peluches

playpen

le parc pour enfants

train set
le train électrique

building blocks
les cubes

fort
le fort

toy soldiers
les petits soldats

toy duck
le canard

toy boats
les bâteaux

spinning top
la toupie

teddy bear
l'ours en peluche

toy cars
les voitures

counting frame
le boulier compteur

skittles
les quilles

doll's house
la maison de poupée

doll's pram
le landau de poupée

playhouse
la maison (pliante)

23

things in the house

hatstand
le porte manteau

settee/sofa
le canapé

bench
le banc

armchair
le fauteuil

footstool
le pouf

rug
le tapis

stool
le tabouret

rocking-chair
le fauteuil à bascule

high-chair
la chaise haute

des choses chez nous

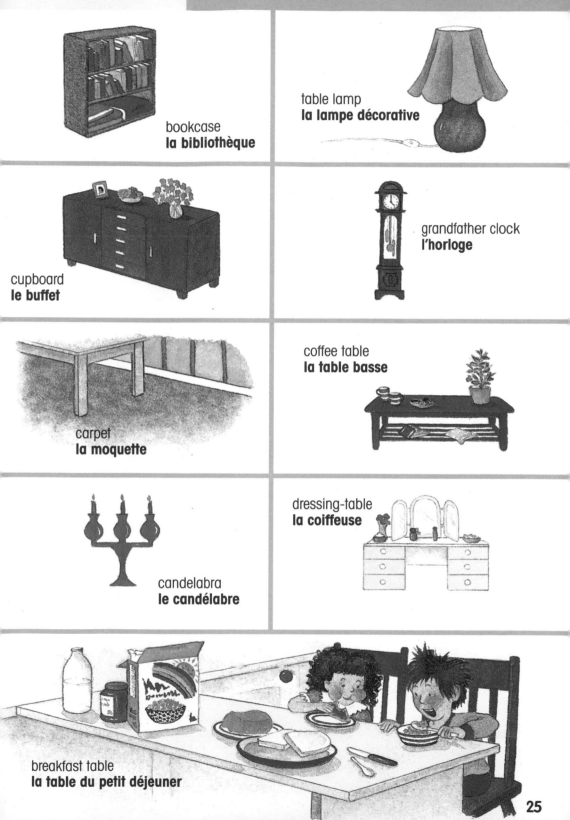

bookcase
la bibliothèque

table lamp
la lampe décorative

cupboard
le buffet

grandfather clock
l'horloge

carpet
la moquette

coffee table
la table basse

candelabra
le candélabre

dressing-table
la coiffeuse

breakfast table
la table du petit déjeuner

the garden

greenhouse
la serre

shed
la cabane

hedge
la haie

watering-can
l'arrosoir

compost
le compost

vegetable plot
la parcelle à légumes

rake
le râteau

bushes
les buissons

garden fork
la fourche

spade
la bêche

wheelbarrow
la brouette

flower-bed
la plate-bande

sprinkler
le tourniquet

hoe
la binette

flowers
les fleurs

le jardin

chimney
la cheminée

TV aerial
l'antenne de télévision

bonfire
le feu

roof
le toit

drain-pipe
**le tuyau
d'écoulement**

porch
le porche

ladder
l'échelle

barrel
le tonneau

front
door
**la porte
d'entrée**

window box
**la jardinière
à fleurs**

roof tiles
les tuiles

grass lawn
la pelouse

path
l'allée

lawnmower
la tondeuse

garden hose
le tuyau d'arrosage

27

in the workshop

ramp
la rampe

wheel
la roue

car jack
le cric

foot-pump
la pompe à pied

car battery
la batterie

paint-brushes
les pinceaux

saw
la scie

sandpaper
le papier de verre

paint tins
les pots de peinture

nuts and bolts
les boulons et les écrous

file
la lime

tools
les outils

pickaxe
la pioche

à l'atelier

oilcan
la burette d'huile

clamp
l'étau

axe
la hache

drill
la perceuse

penknife
le canif

wooden plank
la planche

screwdriver
le tournevis

screws
les vis

bucket
le seau

toolbox
la boîte à outils

plane
le rabot

hammer
le marteau

tape-measure
le mètre

pliers
la pince

nails
les clous

friendly pets

mouse
la souris

toad
le crapaud

hamster
le hamster

rat
le rat

frog
la grenouille

guinea-pig
le cochon d'Inde

gerbil
la gerbille

rabbit
le lapin

basket
le panier

cat
le chat

kitten
le chaton

fishbowl
le bocal (à poissons)

tortoise
la tortue

kennel
la niche

goldfish
le poisson rouge

newt
le triton

terrapin
la tortue d'eau douce

puppy
le chiot

hedgehog
le hérisson

dog
le chien

silkworm
le ver à soie

stick-insect
le phasme

budgie
la perruche

canary
le canari

lovebirds
les tourtereaux

lizard
le lézard

pigeon
le pigeon

mynah bird
le mynah

birdcage
la cage

horse
le cheval

parrot
le perroquet

foal
le poulain

Shetland pony
le poney de Shetland

the street

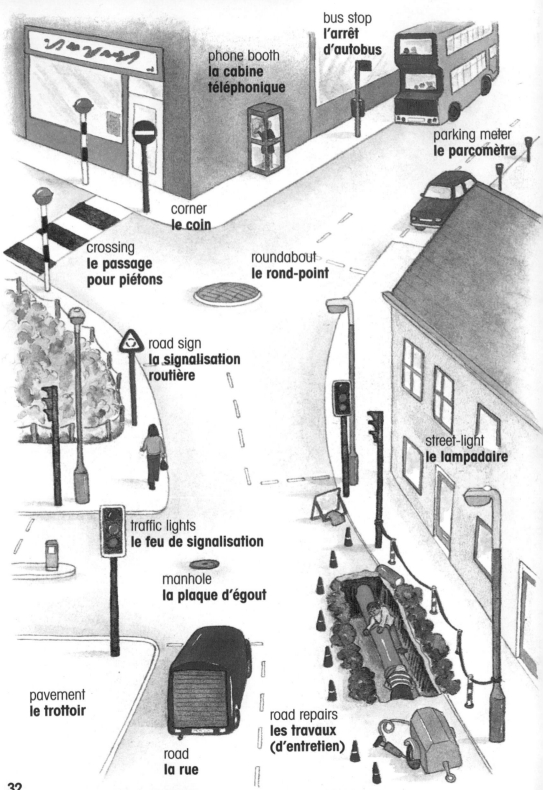

phone booth
**la cabine
téléphonique**

bus stop
**l'arrêt
d'autobus**

parking meter
le parcomètre

corner
le coin

crossing
**le passage
pour piétons**

roundabout
le rond-point

road sign
**la signalisation
routière**

street-light
le lampadaire

traffic lights
le feu de signalisation

manhole
la plaque d'égout

pavement
le trottoir

road repairs
**les travaux
(d'entretien)**

road
la rue

bicycle
la bicyclette

bus
l'autobus

fire-engine
le camion de pompiers

taxi
le taxi

car
la voiture

steam-roller
le rouleau compresseur

ck
amion

motor-cycle
la moto

police car
a voiture
le police

van **la camionnette**

33

in town

church
l'église

restaurant
le restaurant

market
le marché

houses
les maisons

hotel
l'hôtel

skyscraper
le gratte-ciel

post office
le bureau de poste

shop
le magasin

parked cars
des voitures garées

theatre
le théâtre

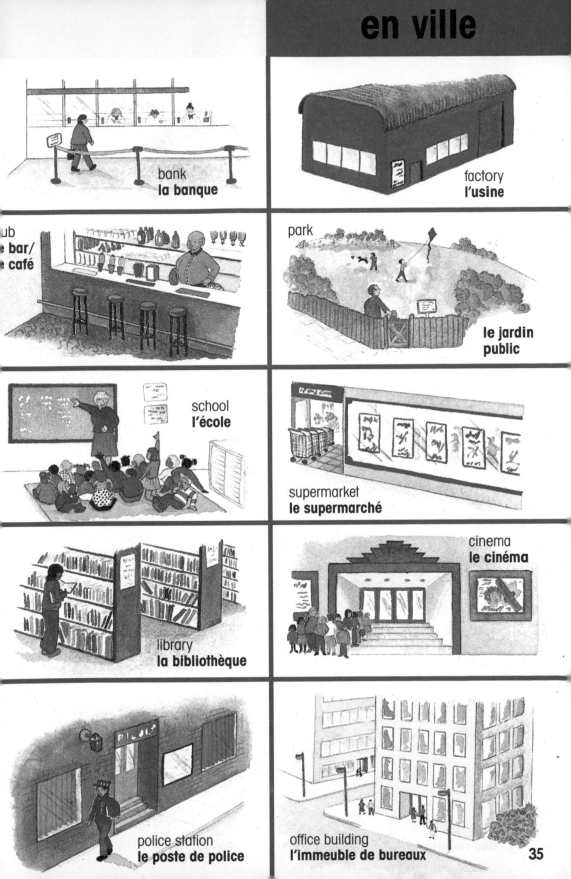

en ville

bank
la banque

factory
l'usine

ub
e bar/
e café

park
le jardin
public

school
l'école

supermarket
le supermarché

library
la bibliothèque

cinema
le cinéma

police station
le poste de police

office building
l'immeuble de bureaux

35

breakfast cereal
les céréales

sausages
les saucisses

meat
la viande

fruit juice
le jus de fruits

chicken
le poulet

eggs
les œufs

ham
le jambon

jam
la confiture

chocolate bars
les plaques de chocolat

fish
le poisson

turnstile
le tourniquet d'entrée

cans
les boîtes de conserve

cheese
le fromage

butter
le beurre

milk
le lait

credit card
la carte de crédit

money
l'argent

receipt
le reçu

cash register
la caisse enregistreuse

check-out desk
la caisse

purse
le porte-monnaie

shopping bag
le sac

handbag
le sac à main

some fruit

des fruits

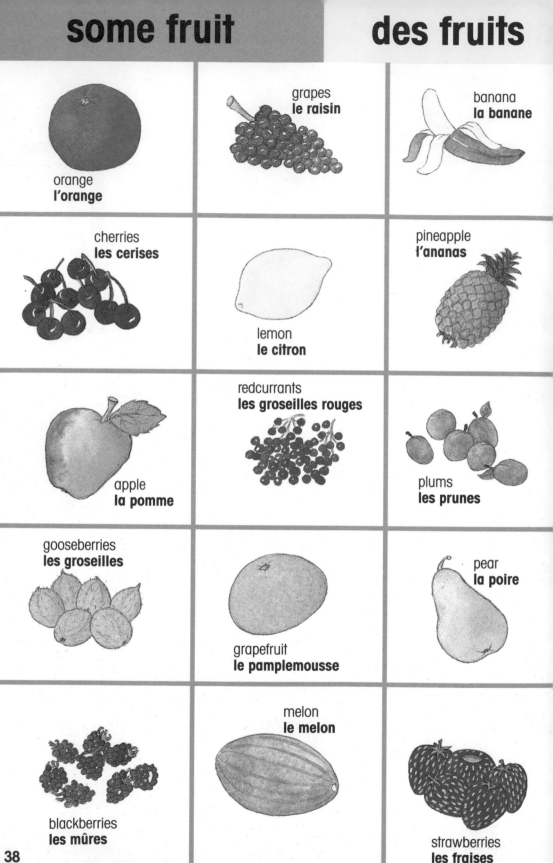

orange
l'orange

grapes
le raisin

banana
la banane

cherries
les cerises

lemon
le citron

pineapple
l'ananas

apple
la pomme

redcurrants
les groseilles rouges

plums
les prunes

gooseberries
les groseilles

grapefruit
le pamplemousse

pear
la poire

blackberries
les mûres

melon
le melon

strawberries
les fraises

des légumes   some vegetables

cabbage
le chou

tomatoes
les tomates

cucumber
le concombre

potatoes
les pommes de terres

pumpkin
la citrouille

peas
les petits pois

corn on the cob
l'épi de maïs

carrots
les carottes

onions
les oignons

green beans
les haricots verts

leeks
les poireaux

cauliflower
le chou-fleur

mushrooms
les champignons

Brussels sprouts

lettuce
la laitue

les choux de Bruxelles

more things to eat

cake
le gâteau

hot dog
le hot-dog

rice
le riz

jelly
la gelée

honey
le miel

coconut
la noix de coco

spaghetti
les spaghetti

toast
le pain grillé

milk shake
le milk shake

doughnuts
des beignets

lollipop
l'esquimau

sweets
les bonbons

fish fingers
les bâtonnets de poisson

pancakes
les crêpes

bottle of cola
une bouteille de coke

d'autres choses à manger

ice-cream
la glace

buns
les brioches

sausage roll
le friand

nuts
les noix

bag of sugar
un paquet de sucre

tomato ketchup
le ketchup

chips
les frites

bar of chocolate
la plaque de chocolat

salad
la salade

apple pie
la tourte aux pommes

can of soup
la soupe en boîte

biscuits
les biscuits

sandwich
le sandwich

loaf of bread
le pain

pizza
la pizza

41

kite
le cerf-volant

railings
la clôture

picnic
le pique-nique

notice board

bandstand
le kiosque à musique

**le tableau
d'information**

scooter
la trottinette

park keeper
le guardien

sand-pit
le bac à sable

fountain
la fontaine

pond
l'étang

boats
les bateaux

au jardin public

swings
les balançoires

slide
le toboggan

roundabout
le manège

path
l'allée

drinking fountain
la fontaine publique

roller skates
les patins à roulettes

collar
le collier de chien

see-saw
la bascule

skipping rope
la corde à sauter

helmet
le casque

pads
les bourrelets

skateboard
la planche à roulettes

dog muzzle
la muselière

43

people at work

actor
l'acteur

secretary
la secrétaire

gardener
le jardinier

musician
la musicienne

decorator
le peintre

shop-keeper
le commerçant

astronaut
l'astronaute

diver
le plongeur

cook
le cuisinier

dancer
la danseuse

singer
le chanteur

hairdresser
la coiffeuse

baker
le boulanger

artist
l'artiste

postman
le facteur

farmer
le fermier

butcher
le boucher

carpenter
le charpentier

more people at work

fisherman
le pêcheur

nurse
l'infirmière

teacher
le professeur

miner
le mineur

waiter
le serveur

bricklayer
le maçon

plumber
le plombier

explorer
l'explorateur

dentist
la dentiste

clown
le clown

judge
le juge

porter
le porteur

TV announcer
**la speakerine/
la présentatrice**

window cleaner
le laveur de vitres

doctor
le docteur

fireman
le pompier

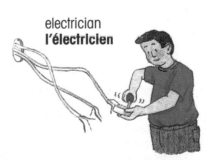

scientist
le scientifique

electrician
l'électricien

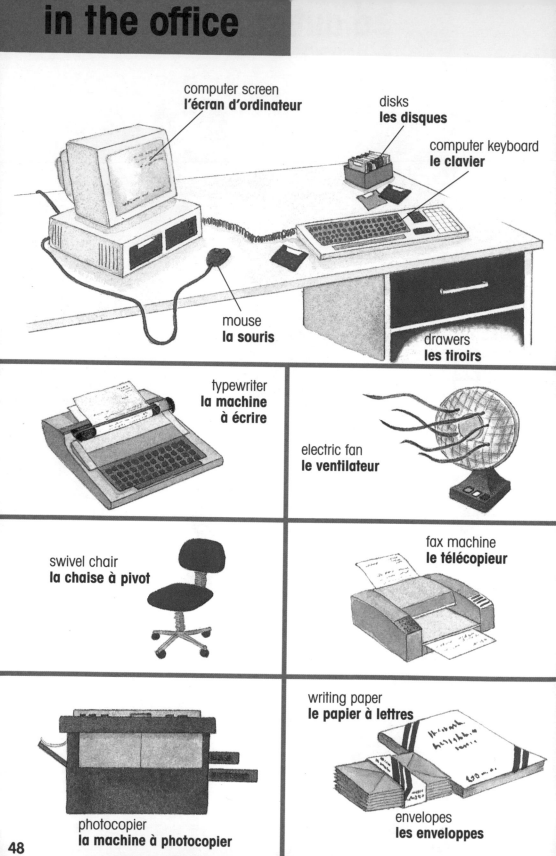

computer screen
l'écran d'ordinateur

disks
les disques

computer keyboard
le clavier

mouse
la souris

drawers
les tiroirs

typewriter
la machine à écrire

electric fan
le ventilateur

swivel chair
la chaise à pivot

fax machine
le télécopieur

writing paper
le papier à lettres

photocopier
la machine à photocopier

envelopes
les enveloppes

48

calendar
le calendrier

filing cabinet
le classeur

pencil
le crayon

pen
le stylo

pencil sharpener
le taille-crayon

rubber
la gomme

ruler
la règle

stapler
l'agrafeuse

paperweight
le presse-papiers

calculator
la calculette

wastepaper bin
la corbeille à papier

coffee
machine
**la machine
à café**

at the garage

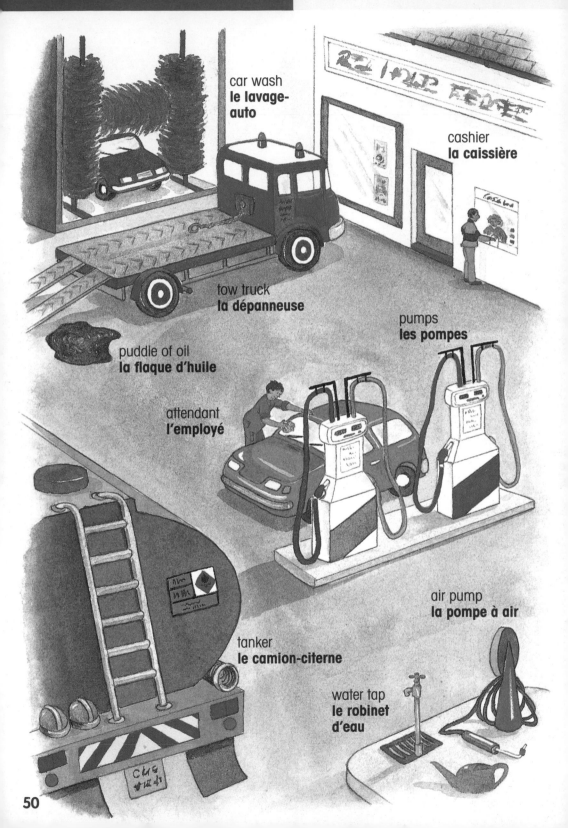

car wash
le lavage-auto

cashier
la caissière

tow truck
la dépanneuse

pumps
les pompes

puddle of oil
la flaque d'huile

attendant
l'employé

air pump
la pompe à air

tanker
le camion-citerne

water tap
le robinet d'eau

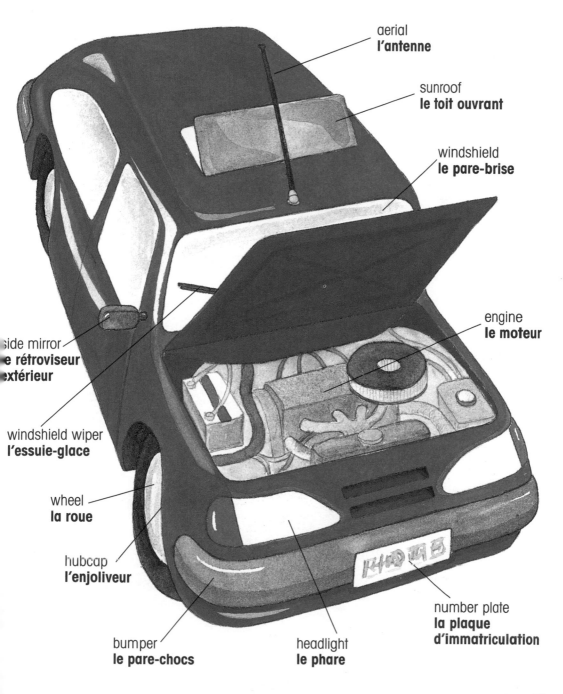

aerial
l'antenne

sunroof
le toit ouvrant

windshield
le pare-brise

engine
le moteur

side mirror
le rétroviseur extérieur

windshield wiper
l'essuie-glace

wheel
la roue

hubcap
l'enjoliveur

number plate
la plaque d'immatriculation

bumper
le pare-chocs

headlight
le phare

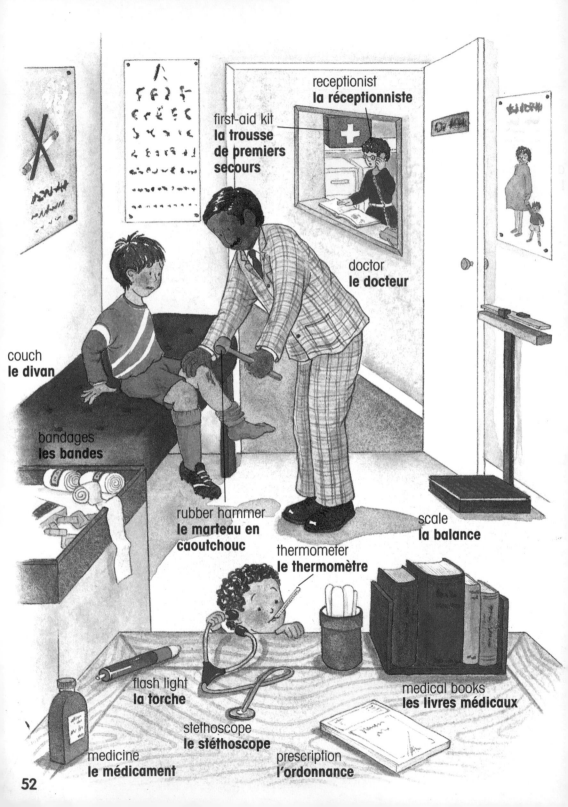

receptionist
la réceptionniste

first-aid kit
la trousse de premiers secours

doctor
le docteur

couch
le divan

bandages
les bandes

rubber hammer
le marteau en caoutchouc

scale
la balance

thermometer
le thermomètre

flash light
la torche

medical books
les livres médicaux

stethoscope
le stéthoscope

medicine
le médicament

prescription
l'ordonnance

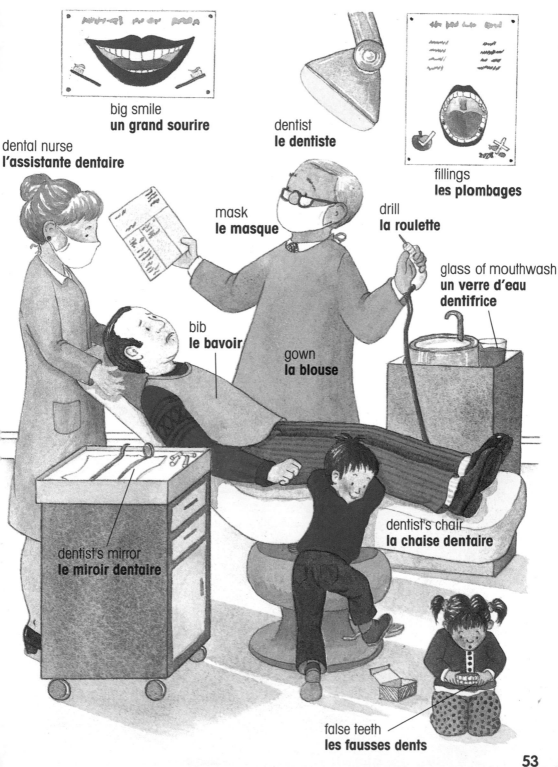

big smile
un grand sourire

dentist
le dentiste

fillings
les plombages

dental nurse
l'assistante dentaire

mask
le masque

drill
la roulette

glass of mouthwash
un verre d'eau dentifrice

bib
le bavoir

gown
la blouse

dentist's mirror
le miroir dentaire

dentist's chair
la chaise dentaire

false teeth
les fausses dents

53

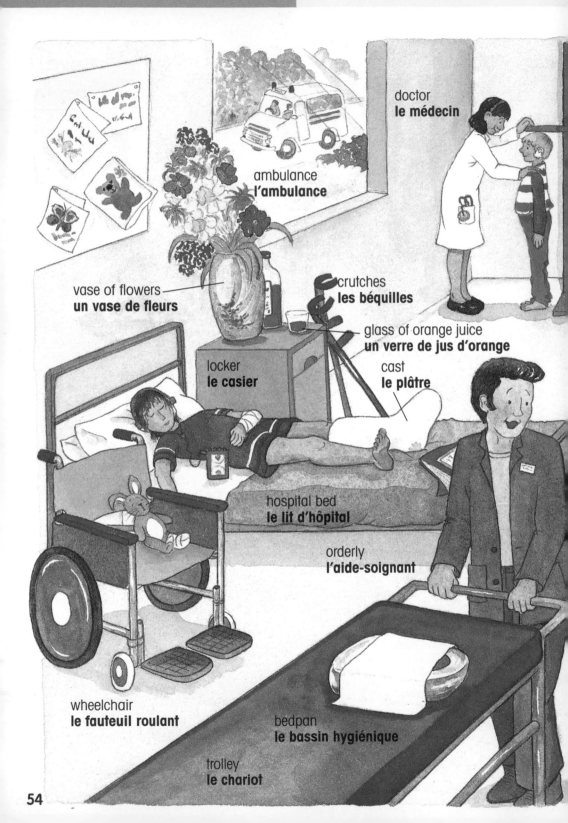

doctor
le médecin

ambulance
l'ambulance

crutches
les béquilles

vase of flowers
un vase de fleurs

glass of orange juice
un verre de jus d'orange

locker
le casier

cast
le plâtre

hospital bed
le lit d'hôpital

orderly
l'aide-soignant

wheelchair
le fauteuil roulant

bedpan
le bassin hygiénique

trolley
le chariot

à l'hôpital

X-RAY DEPT.

DO NOT ENTER WHEN RED LIGHT IS ON

x-ray machine
la machine à radiographier

x-ray
la radio

consultant
le médecin consultant

curtain
le rideau

nurse
l'infirmière

syringe
la seringue

tray
le plateau

potty
le pot

slippers
les pantoufles

scissors
les ciseaux

55

games and pastimes

reading
lire

writing
écrire

blindman's buff
colin-maillard

dressing-up
se déguiser

sewing
coudre

singing
chanter

board game
un jeu de société

collecting stamps
la philatélie

sleeping
dormir

les jeux et les passe-temps

chess
les échecs

computer game
le jeu sur ordinateur

listening to music
écouter de la musique

walking
marcher

dancing
danser

playing cards
les cartes à jouer

leapfrog
le saute-mouton

gardening
le jardinage

making music
faire de la musique

canoeing
l'aviron

American football
le football américain

diving
la plongée

tennis
le tennis

showjumping
le concours hippique

basketball
le basketball

skating
le patinage

rugby
le rugby

cycling
le cyclisme

les sports

gymnastics
la gymnastique

swimming
la natation

skiing
le ski

cricket
le cricket

baseball
le base-ball

table tennis
le tennis de table

running
la course

soccer
le football

horse-riding
l'équitation

on the farm

sheep
le mouton

lamb
l'agneau

calf
le veau

cow
la vache

duck
le canard

ducklings
les canetons

milk
containers
**les bidons
de lait**

orchard
le verger

cockerel
le coq

haystack **la meule de foin**

turkey **le dindon**

goslings **les oisons**

goose **l'oie**

foal **le poulain**

horse **le cheval**

bull **le taureau**

tractor **le tracteur**

goat **la chèvre**

kid **le chevreau**

pig **le cochon**

piglet **le cochonnet**

hen **la poule**

chicks **les poussins**

field **le champ**

fence **la palissade**

lunch-box
la boîte-repas

pupils
les élèves

globe
la mappemonde

pot of
paste
**le pot
de colle**

a b c d e f g
h i j k l m n
o p q r s t u
v w x y z

alphabet
l'alphabet

slide projector
**le projecteur
de diapositives**

wall chart
la planche murale

notebook
le cahier

teacher
l'institutrice

blackboard
le tableau noir

easel
le chevalet

school bag
le cartable

chalks
les craies

drawing
le dessin

pencil case
la trousse

modelling clay
la pâte à modeler

writing
l'écriture

going by train

signal
les feux de signalisation

the railway station
la gare

platform
le quai

buffer
le tampon

passenger
le voyageur

ticket collector
le contrôleur

escalator
l'escalier roulant

diesel engine
la locomotive diesel

level crossing
le passage à niveau

passenger car

railway line
les rails

freight car
le wagon de marchandises

le wagon des voyageurs

64

aller en train

ticket office
le guichet

dining car
le wagon restaurant

Dining Car / le wagon restaurant

porter
le porteur

luggage
les bagages

tunnel
le tunnel

ticket machine
le distributeur de billets

monorail

le monorail

signal box
la cabine d'aiguillage

smoke
la fumée

steam engine   **la locomotive à vapeur**   65

funnel
l'entonnoir

boat
le navire

stern
la poupe

bow
la proue

tug-boat
le remorqueur

mast
le mât

yacht
le bateau à voiles

submarine
le sous-marin

anchor
l'ancre

buoy
la bouée

hydrofoil
l'hydrofoil

voyager sur l'eau

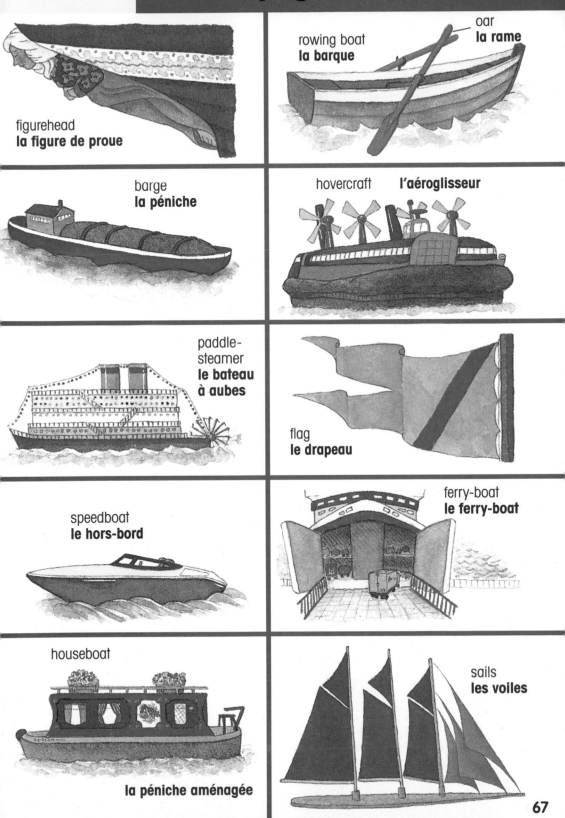

figurehead
la figure de proue

rowing boat
la barque

oar
la rame

barge
la péniche

hovercraft **l'aéroglisseur**

paddle-
steamer
**le bateau
à aubes**

flag
le drapeau

speedboat
le hors-bord

ferry-boat
le ferry-boat

houseboat

la péniche aménagée

sails
les voiles

going by plane

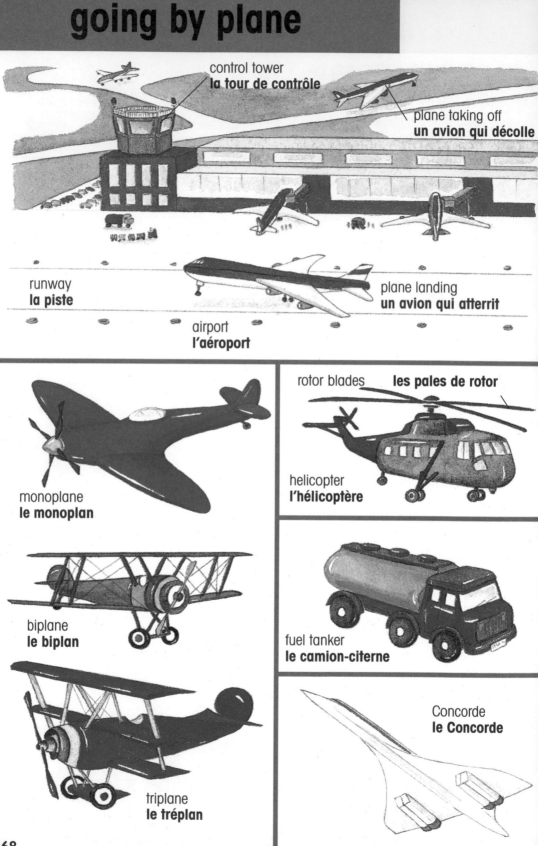

control tower
la tour de contrôle

plane taking off
un avion qui décolle

runway
la piste

plane landing
un avion qui atterrit

airport
l'aéroport

monoplane
le monoplan

biplane
le biplan

triplane
le tréplan

rotor blades **les pales de rotor**

helicopter
l'hélicoptère

fuel tanker
le camion-citerne

Concorde
le Concorde

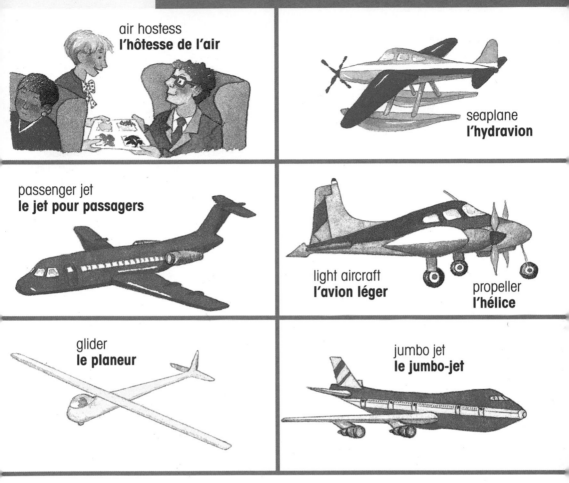

air hostess
l'hôtesse de l'air

seaplane
l'hydravion

passenger jet
le jet pour passagers

light aircraft
l'avion léger

propeller
l'hélice

glider
le planeur

jumbo jet
le jumbo-jet

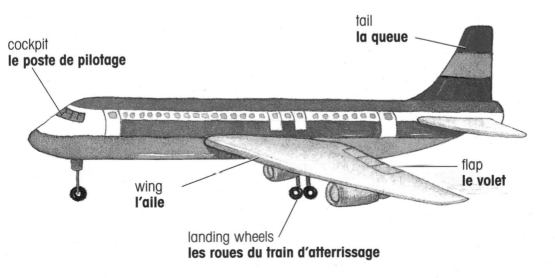

tail
la queue

cockpit
le poste de pilotage

flap
le volet

wing
l'aile

landing wheels
les roues du train d'atterrissage

in the country

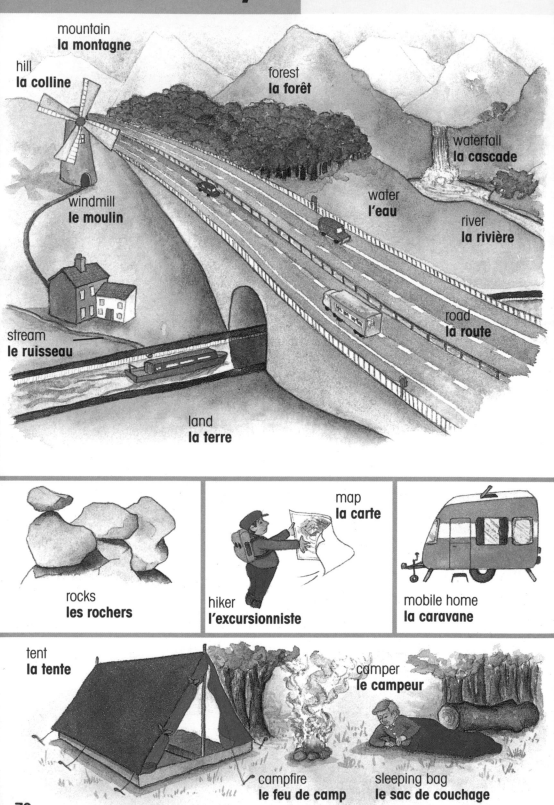

mountain
la montagne

hill
la colline

forest
la forêt

waterfall
la cascade

windmill
le moulin

water
l'eau

river
la rivière

stream
le ruisseau

road
la route

land
la terre

rocks
les rochers

map
la carte

hiker
l'excursionniste

mobile home
la caravane

tent
la tente

camper
le campeur

campfire
le feu de camp

sleeping bag
le sac de couchage

fishing rod
la canne à pêche

fishing net
le filet

fisherman
le pêcheur

trees
les arbres

scarecrow
l'épouvantail

wild flowers
les fleurs des champs

stepping stones
les pierres de gué

village
le village

town
la ville

city
la cité

builders and buildings

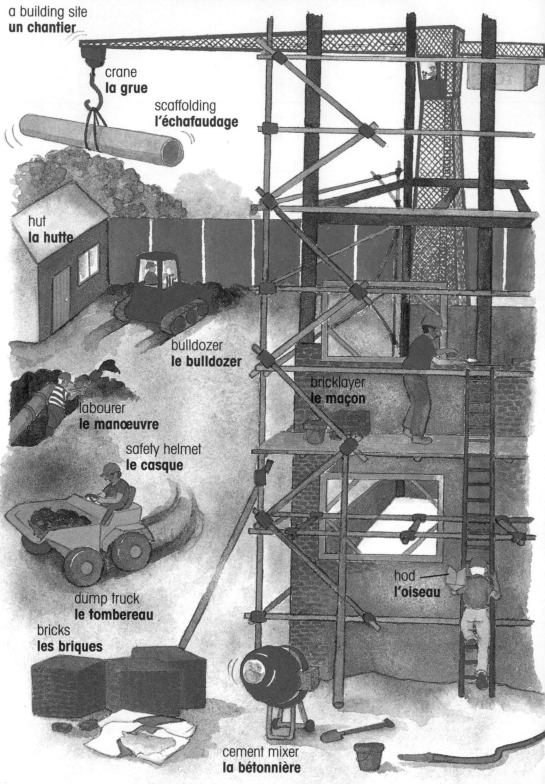

a building site
un chantier

crane
la grue

scaffolding
l'échafaudage

hut
la hutte

bulldozer
le bulldozer

labourer
le manoeuvre

safety helmet
le casque

dump truck
le tombereau

bricks
les briques

bricklayer
le maçon

hod
l'oiseau

cement mixer
la bétonnière

les entrepreneurs et les bâtiments

fire station
la caserne de pompiers

houses
les maisons

cottage
le cottage

mosque

la mosquée

car park
le parking

hospital
l'hôpital

art gallery
la galerie d'art

hangar
le hangar

castle   **le château**

boathouse   **le hangar à bateaux**

museum
le musée

tower
la tour

73

winter
l'hiver

spring
le printemps

lightning
l'éclair

sunshine
**la lumière
du soleil**

autumn
l'automne

rainbow
l'arc-en-ciel

rain **la pluie**

storm

summer **l'été**

l'orage

hail
la grêle

ice
la glace

snow
la neige

cobweb
**la toile
d'araignée**

insects
des insectes

spider
l'araignée

snail
l'escargot

centipede
le mille-pattes

praying mantis
la mante religieuse

earwig
le perce-oreille

wasp
la guêpe

scorpion
le scorpion

caterpillar
la chenille

bee
l'abeille

beehive
la ruche

chrysalis
la chrysalide

butterfly
le papillon

slug
la limace

75

wild animals

peacock
le paon

owl
le hibou

monkey
le singe

ostrich
l'autruche

giraffe
la girafe

tiger
le tigre

lion
le lion

elephant
l'éléphant

gorilla
le gorille

penguin
le pingouin

woodpecker
le pic vert

stork
la cigogne

swan
le cygne

porcupine
le porc-épic

panda
le panda

crocodile
le crocodile

zebra
le zèbre

rhinoceros/rhino
le rhinocéros

hippopotamus/hippo
l'hippopotame

whale
la baleine

more wild animals

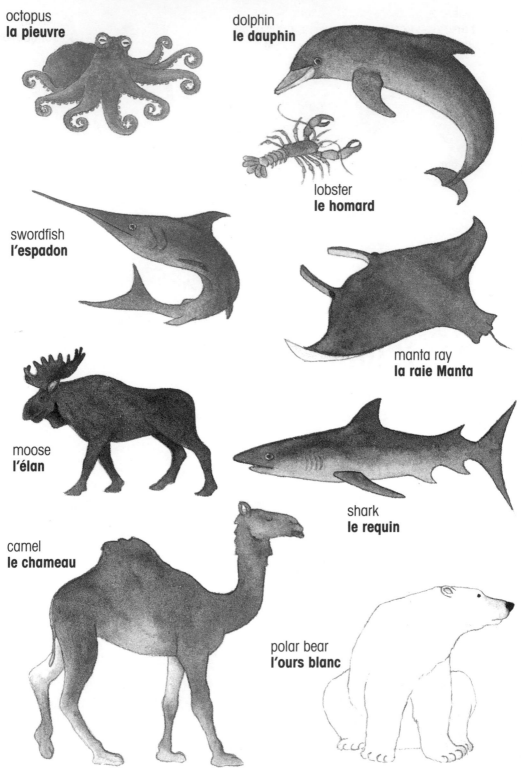

octopus
la pieuvre

dolphin
le dauphin

lobster
le homard

swordfish
l'espadon

manta ray
la raie Manta

moose
l'élan

shark
le requin

camel
le chameau

polar bear
l'ours blanc

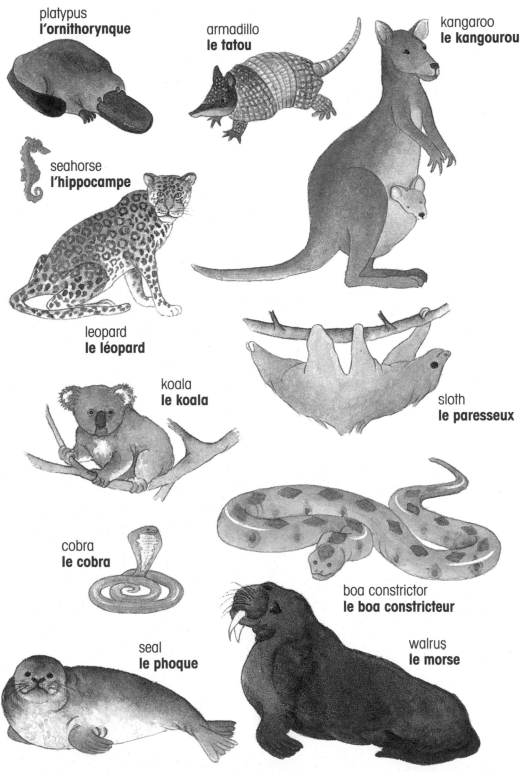

platypus
l'ornithorynque

armadillo
le tatou

kangaroo
le kangourou

seahorse
l'hippocampe

leopard
le léopard

koala
le koala

sloth
le paresseux

cobra
le cobra

boa constrictor
le boa constricteur

seal
le phoque

walrus
le morse

des termes animalier

wing
l'aile

feather
la plume

antlers
les bois

beak
le bec

tail
la queue

whiskers
les moustaches

paw
la patte

fin
la nageoire/l'aileron

hoof
le sabot

flipper
la nageoire

pouch
la poche

shell
le coquillage

hump
la bosse

tusk
la défense

trunk
la trompe

les plantes

plants

parts of a flower
les parties d'une fleur

petal
le pétale

holly
le houx

bulb
le bulbe

ud
bourgeon

eaf
a feuille

stem
la tige

cactus
le cactus

wheat
le blé

roots
les racines

seeds
les graines

indoor plant
une plante d'intérieur

shoots
les pousses

bramble
la ronce

rushes
les joncs

bush
le buisson

twig **la brindille**

branch
la branche

creeper
la plante grimpante

trunk
le tronc

81

seagulls
les mouettes

water-skiing
le ski nautique

donkey
l'âne

windsurfer
le véliplanchiste

crab
le crabe

mussels
les moules

shellfish
**les crustacés/
les coquillages**

jellyfish
la méduse

seaweed
les algues

pool
la mare

starfish
l'étoile de mer

sandcastle
le château de sable

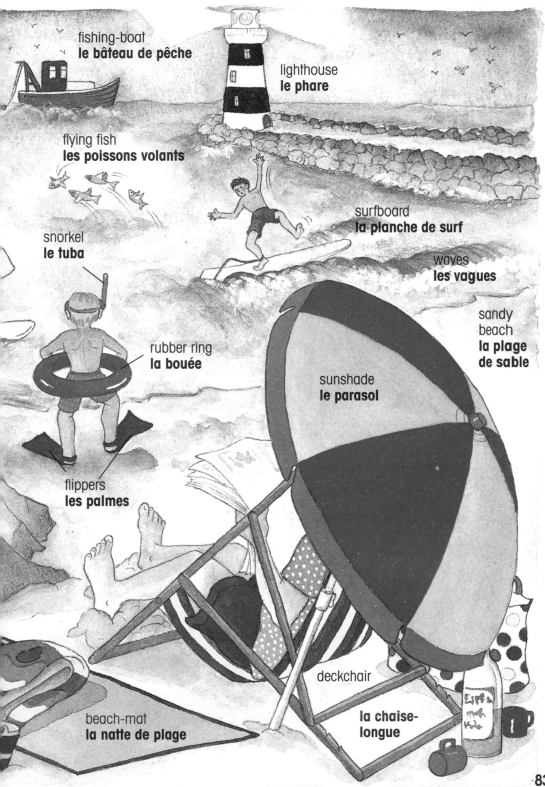

fishing-boat
le bâteau de pêche

lighthouse
le phare

flying fish
les poissons volants

surfboard
la planche de surf

snorkel
le tuba

waves
les vagues

sandy beach
la plage de sable

rubber ring
la bouée

sunshade
le parasol

flippers
les palmes

deckchair

beach-mat
la natte de plage

la chaise-longue

having a party

paper chain
la guirlande

balloons
les ballons

cloak
la cape

birthday cards
les cartes d'anniversaire

candles
les bougies

paper hat
le chapeau de papier

cake
le gâteau

sweets
les bonbons

biscuits
les biscuits

sandwiches
les sandwichs

crackers
les diablotins

fizzy drinks
les boissons gazeuses

chocolates
les chocolats

straws
les pailles

crumbs
les miettes

sparklers
**les cierges
magiques**

magician
le magicien

party invitation
l'invitation

Please come
to my fancy
dress party

hostess
l'hôtesse

guest
l'invité

presents
les cadeaux

ribbon
le ruban

fancy dress costumes
les déguisements

over
par-dessus

in
dedans

out
dehors

under
sous

up
en haut

happy
heureuse

sad
triste

down
en bas

high
haut

wet
mouillé

dry
sec

low
bas

fast
rapide

thin
maigre

fat
gros

slow
lent

big
grand

above
au-dessus

small
petit

below
au-dessous

behind
derrière

in front
devant

witch
la sorcière

pirate
le pirate

ghost
le fantôme

dwarf
le nain

fairy
la fée

dragon
le dragon

giant
le géant

wizard
le magicien

mermaid
la sirène

dinosaur
le dinosaure

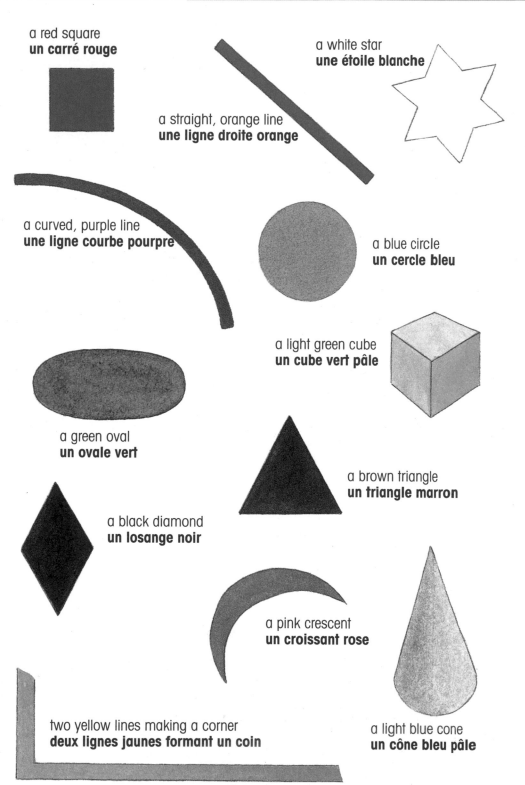

a red square
un carré rouge

a white star
une étoile blanche

a straight, orange line
une ligne droite orange

a curved, purple line
une ligne courbe pourpre

a blue circle
un cercle bleu

a light green cube
un cube vert pâle

a green oval
un ovale vert

a brown triangle
un triangle marron

a black diamond
un losange noir

a pink crescent
un croissant rose

two yellow lines making a corner
deux lignes jaunes formant un coin

a light blue cone
un cône bleu pâle

1
one girl
une fille

2
two boys
deux garçons

3
three ponies
trois poneys

4
four cows
quatre vaches

5
five puppies
cinq chiots

6
six kittens
six chatons

7
seven lambs
sept agneaux

8
eight pigs
huit cochons

9
nine ducks
neuf canards

10
ten mice
dix souris